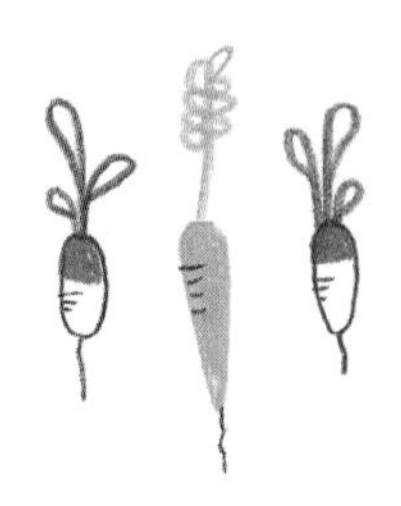

Conforme à la loi n° 49-956 du 16 juillet 1949
sur les publications destinées à la jeunesse.

25, boulevard Romain Rolland, 75014 Paris.
ISBN : 978-2-7324-8056-5
Dépôt légal : janvier 2017

www.lamartinierejeunesse.fr - www.lamartinieregroupe.com

mon lapin patate

Christine Roussey

De La Martinière
Jeunesse

Aujourd'hui c'est mon anniversaire.
J'ai 6 ans.
J'suis super content.
Mon tonton Génial est là, il a posé
un énorme carton sur mes genoux.
Je suis sûr que c'est un lapin nain.
Comme dans mes rêves.
Depuis le temps que je l'attendais...

Moi je rêve d'un lapin nain rikiki, depuis que je suis tout petit.
Un lapin gros comme une pomme, pas plus, que j'pourrais cacher dans ma poche pour aller faire du bicloune avec les copains. Un lapin nain mini, pas plus gros qu'un kiwi, qui pourrait dormir sous mon oreiller et chanter du blues pour me bercer.

Un lapin tellement super que même le père Noël voudrait l'adopter !

Un lapin célèbre.

Un lapin champion du monde !

Un lapin que j'aimerais à la folie.

Mais quand j'ai ouvert le gros carton posé
sur mes genoux, voici ce que j'ai découvert :

Une espèce de grosse patate velue avec
des moustaches comme
des cannes à pêche.

Sa queue avait l'air d'une vieille pomme
pourrie, ses oreilles ressemblaient à deux
poireaux flétris et ses deux yeux globuleux
louchaient sur son gros nez
en carotte fânée.

Je l'ai trouvé très moche
et il avait l'air vraiment très bête.

J'aurais dû dire merci à tonton, mais... J'ai mis le carton sous mon bras et je suis parti en courant dans ma cabane. J'ai posé le carton dans un coin, j'ai dit plein de gros mots, j'en ai même inventé.

Ça n'a rien changé du tout, mais ça m'a soulagé, un peu.

Quand Patate a sorti sa grosse tête de la boîte pour savoir où il était, je lui ai dit qu'il avait gâché mon anniversaire, qu'il ressemblait à une grosse baleine, que j'allais lui couper les oreilles, le faire cuire avec de la moutarde et des pruneaux. Que de toute façon je l'aimais pas et que je l'aimerais jamais !

Comme j'étais encore très en colère, j'ai tout cassé.
J'ai jeté mes trésors par la fenêtre : adieu glands, noisettes, pommes de pins, plumes et cailloux précieux.
Écrabouillé le château en bois fabriqué avec des vrais clous.
Arrachés les petits radis semés avec papy.

Et puis j'ai pleuré, pleuré, pleuré...
De toutes mes forces.

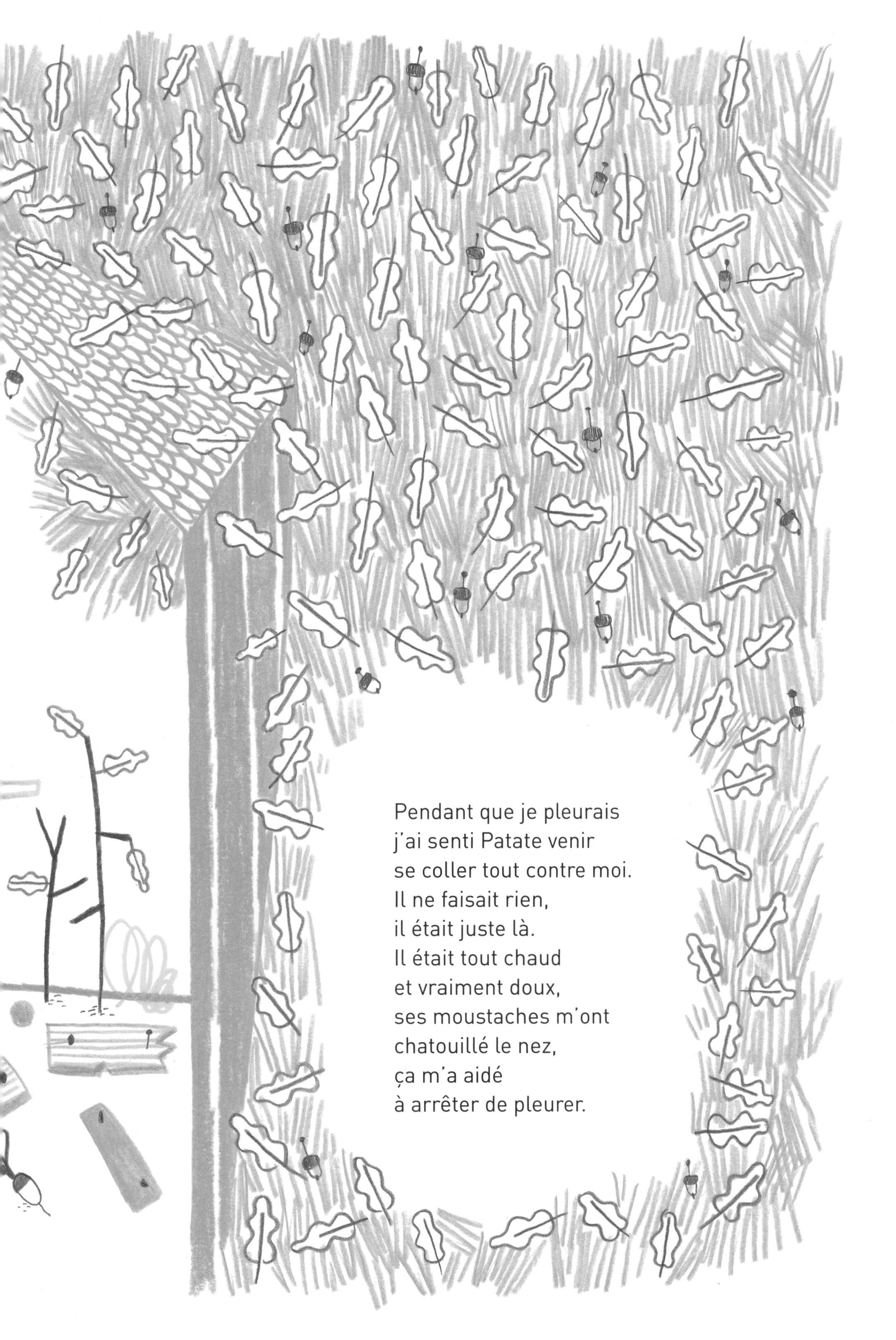

Pendant que je pleurais
j'ai senti Patate venir
se coller tout contre moi.
Il ne faisait rien,
il était juste là.
Il était tout chaud
et vraiment doux,
ses moustaches m'ont
chatouillé le nez,
ça m'a aidé
à arrêter de pleurer.

Patate est monté sur mes genoux, j'avais le nez tout fané et les yeux rouges.
Je l'ai caressé un peu, entre les deux oreilles et je lui ai donné une carotte pour faire la paix. Il a eu l'air d'aimer.
Quand il grignotait, sa bouche gigotait dans tous les sens,
on aurait dit qu'il parlait super vite.
J'ai trouvé ça super drôle, alors j'ai souri et il a souri lui aussi !

Après, Patate m'a aidé à réparer mon chateau.
Il était tout de traviole mais il était encore plus beau !

Patate, lui, n'était peut-être pas beau,
mais c'était un rigolo, un joyeu poteau.
Je commençais à l'aimer bien.

Alors je me suis assis en tailleur
et je lui ai raconté :
« Tu vois, ma colère c'est comme
une tempête, ça gronde,
ça explose et puis ça s'en va.
Ma colère c'est quand je voudrais être
grand et que je me sens petit.
Ma colère ça me fait pleurer fort,
après ça passe.

Tu pleures toi parfois, Patate ? »

Il a rien dit, il était juste là,
tout contre moi.
Ça m'a rendu heureux.
Ni plus, ni moins.

« Tu veux bien être mon ami ? » je lui ai dit.

Il a rien dit, j'ai cru qu'il avait rien compris.
Mais comme il a fait quelques crottes, j'ai pris ça pour un oui.

Je lui ai dit pardon.

Et merci.

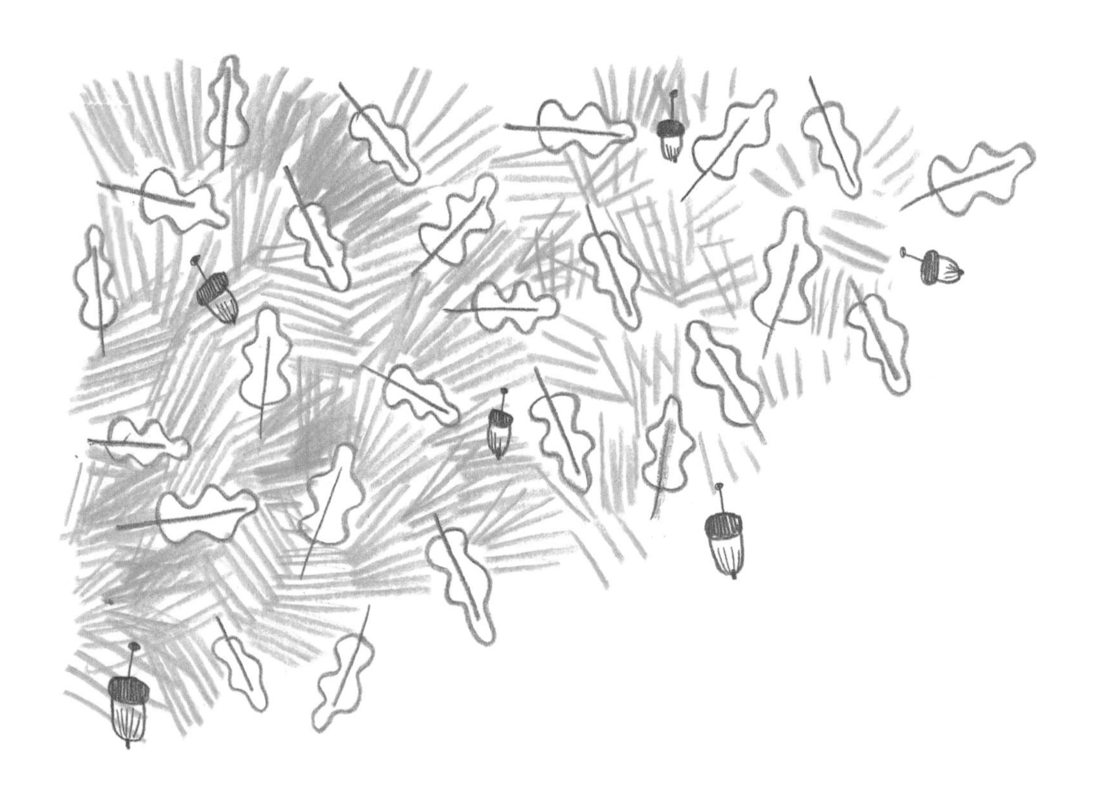

Voilà comment,
le jour de mes 6 ans,
Patate et moi
on est devenus copains pour la vie.